Gyda diolch arbennig i Stephen Cole

I Matthew Egerton

Byd y Bwystfilod: Epos, Aderyn y Fflam
ISBN 978-1-904357-127-9

Cyhoeddwyd gan RILY Publications
Blwch Post 20, Hengoed CF82 7YR

Addasiad gan Tudur Dylan Jones
Hawlfraint yr addasiad © RILY Pulications Ltd 2013

Cyhoeddwyd gyntaf ym Mhrydain Fawr yn 2007 gan Orchard Books

Cyhoeddwyd yn wreiddiol yn Saesneg fel
Beast Quest: Epos The Flame Bird gan Orchard Books
argraffnod o Hachette Children's Books, a Hachette UK company

www.beastquest .co.uk

Crëwyd y gyfres gan Working Partners Ltd, Llundain

Cyhoeddwyd gyda chymorth ariannol Cyngor Llyfrau Cymru.

www.rily.co.uk

EPOS
ADERYN Y FFLAM

GAN ADAM BLADE

ADDASIAD TUDUR DYLAN JONES

RILY

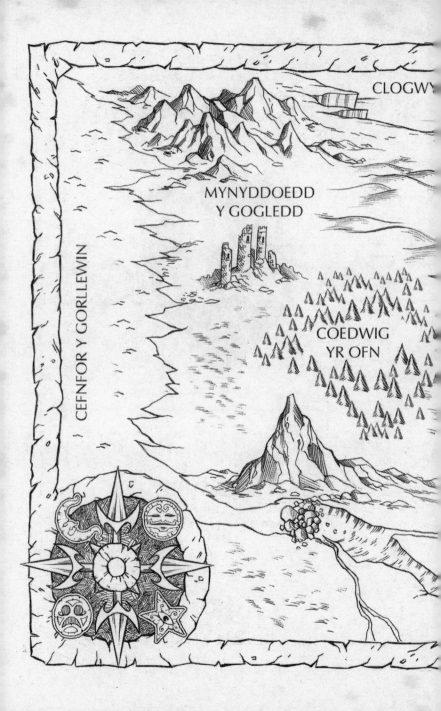

CLOGWY

MYNYDDOEDD
Y GOGLEDD

CEFNFOR Y GORLLEWIN

COEDWIG
YR OFN

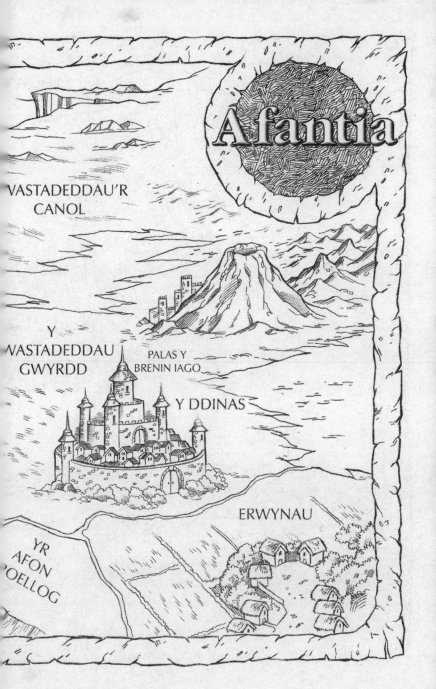

Croeso i deyrnas Afantia. Aduro ydw i – dewin da sy'n byw ym mhalas y Brenin Iago. Rydych chi'n ymuno â ni ar adeg anodd. Gadewch i fi egluro...

Yn ôl yr hen lawysgrifau, ryw ddiwrnod, bydd ein teyrnas heddychlon mewn perygl mawr.

Heddiw mae'r diwrnod hwnnw wedi dod.

O dan felltith Moelfryn y Dewin Du, mae chwe Bwystfil yn rhedeg yn wyllt ac yn dinistrio'r tir yr oedden nhw gynt yn ei warchod – draig dân, neidr fôr, cawr y mynydd, ceffyl-ddyn, anghenfil yr eira, ac aderyn y fflam.

Mae Afantia mewn perygl mawr.

Mae'r hen lawysgrifau hefyd yn rhag-weld y bydd arwr annisgwyl yn codi. Mae'n ysgrifenedig y bydd bachgen yn mynd ar Gyrch i ryddhau'r Bwystfilod o'r felltith, ac yn achub y deyrnas.

Dydyn ni ddim yn gwybod pwy ydy'r bachgen hwn, ond rydyn ni'n gwybod bod ei amser wedi dod...

Gweddïwn y bydd gan ein harwr ifanc y dewrder a'r galon i dderbyn yr her. Ymunwch gyda ni wrth i ni aros a gweld.

Er mwyn Afantia,

Aduro

PROLOG

'Rydw i ar goll,' meddyliodd Owen.

Unwaith eto, roedd y twnnel yn dod i ben mewn ogof dywyll. Cododd panig i wddf y bachgen wrth iddo geisio cofio'i ffordd 'nôl. Ond doedd ganddo ddim gobaith. Er ei fod wedi gadael marciau sialc ar y waliau, roedd yn rhy dywyll i'w gweld nhw.

Ychydig amser yn ôl, roedd Owen wedi bod yn chwarae y tu allan i'r ogofâu ar ochr ogleddol y pentref. Yna, roedd wedi clywed sŵn yn dod

o'r ogofâu. Sŵn siffrwd a chrafu.
Doedd pobl byth yn arfer mynd i
mewn i'r ogofâu gan eu bod yn
beryglus, ac yn ymestyn am
filltiroedd o dan y ddaear. Roedd
cwymp creigiau'n gyffredin hefyd.
Ond allai o ddim anwybyddu beth
bynnag oedd yno.

  'Mae'n rhaid bod anifail wedi
crwydro i mewn, a mynd ar goll,'
meddai wrtho'i hun. 'Fydda i ddim
yn hir yn helpu'r creadur bach
i ddod allan.'

  Roedd wedi ceisio dilyn sŵn
y siffrwd – a rŵan roedd ar goll
yn llwyr. Safai'n ddiymadferth yn
y düwch oer.

  'Oes rhywun yna?' gwaeddodd.
Atseiniai'i lais yn annaearol yn y
gwagle o'i gwmpas. Roedd yr
ogofâu hyn yn cipio'r sŵn lleiaf a'i
droi, gan wneud iddo ymddangos
fel petai'n dod o gyfeiriad gwahanol.

Ymbalfalodd yn ei flaen a
chyffyrddodd ei fysedd â'r graig arw
– yna dim byd.

Camodd Owen yn ei flaen,
a sylweddoli ei fod wedi dod o hyd
i geg ogof newydd.

Ychydig o ffordd i mewn, roedd
golau gwan. Edrychodd i fyny a
gweld llygedyn o awyr lwyd yn y
graig yn uchel uwch ei ben.

Yna crafodd ei droed yn erbyn
rhywbeth ar y llawr. Darn o arf
llosg. O ble oedd hwn wedi dod?
A beth oedd wedi digwydd i'r
marchog oedd yn ei wisgo?
Edrychai fel darn o fetel a
ddefnyddiai'r marchogion i warchod
eu gên a rhan isaf yr wyneb, ond
yn llai.

Yn sydyn rhwygodd sgrech erchyll
drwy'r awyr. Gwaeddodd Owen
mewn ofn gan edrych o'i amgylch
yn wyllt.

Ymddangosodd siâp tywyll o'r
cysgodion a sefyll yn uchel dros ei
ben. Mewn braw, gwelai Owen mai
clamp o aderyn oedd yno!

Agorodd ei adenydd anferth.
Roedden nhw fel hwyliau llong ac
wedi'u gorchuddio â phlu mân o liw
aur tywyll. Roedd ei big mor hir a
miniog â chleddyf. Rhythai dau lygad

ffyrnig ar Owen, a'r rheiny'n disgleirio fel haearn yn nhân y gof. Crafai crafangau anferth y creadur ar y graig gan ei rhwygo'n ddarnau.

Curai calon Owen, a sylweddolodd mai dyma'r sŵn roedd wedi'i glywed. Dyma'r anifail roedd wedi gobeithio'i achub... Rŵan, *fo* oedd angen cael ei achub – ac yn gyflym!

Plygodd y creadur tuag ato – yna ffrwydrodd fflamau o'i gorff pluog anferth! Taflodd Owen ei hun i'r llawr wrth i'r Bwystfil godi i'r awyr a'i adenydd tanllyd yn curo'n wyllt wrth iddo hedfan yn syth tuag ato...

PENNOD UN

Y BYGYTHIAD

'Mae'n rhaid ein bod ni bron â chyrraedd pen draw'r goedwig erbyn hyn,' gwaeddodd Tom ar ei ffrind Elena, a gerddai y tu ôl iddo. Gafaelodd yn ei gleddyf a thorri trwy'r tyfiant trwchus oedd ar draws y llwybr. Roedd y golau'n wan, a'r awyr lwyd prin yn y golwg drwy'r canghennau deiliog uwchben.

'Paid â phoeni, mi ddown ni drwyddi,' meddai Elena'n gysurlon

wrth Tom. Roedd hi'n arwain Storm,
ceffyl du Tom, ac arhosodd am
ychydig gan bwyso yn erbyn y ceffyl.
'Ond byddai hoe fach yn beth da.'

Suddodd Arian, ei blaidd anwes,
i'r gwair hir wrth ei hochr a chyfarth.
'Glywaist ti hynna?' gwenodd Elena.
'Mae Arian yn cytuno efo fi.'

Ond ysgydwodd Tom ei ben.
'Rydan ni wedi cymryd bron
i bythefnos i gyrraedd fan hyn.
Mae'n rhaid i ni fynd yn ein
blaenau.'

'Fyddai dim llawer o bobol ar frys
i frwydro yn erbyn aderyn tân
anferth!' meddai Elena.

Roedd Tom wedi blino'n llwyr
hefyd. Ond yn gwbl benderfynol,
cododd ei gleddyf a tharo'n ffyrnig
yn erbyn y tyfiant. Roedd ar gyrch
pwysig ar ran brenin Afantia, y
Brenin Iago. Allai o ddim ildio rŵan,
gyda phen y daith bron yn y golwg.

Ei dasg oedd achub y deyrnas rhag y Bwystfilod oedd yn ei phoeni. Creaduriaid chwedlonol oedden nhw, wedi'u melltithio gan Moelfryn, y Dewin Du. Arferai Tom feddwl mai dim ond straeon tylwyth teg oedd y Bwystfilod, ond erbyn hyn gwyddai eu bod nhw'n greaduriaid go iawn.

Roedd Elena ac Arian wedi ymuno gyda Tom ar y Cyrch, a gyda'i gilydd roedden nhw wedi rhoi eu bywydau mewn perygl wrth geisio rhyddhau'r Bwystfilod rhag melltith Moelfryn. Roedden nhw eisoes wedi wynebu cawr ag un llygad a neidr fôr lithrig. Roedden nhw wedi ymladd yn erbyn ceffyl-ddyn, draig dân ac anghenfil eira erchyll. Rŵan, eu tasg oedd rhyddhau Epos, yr aderyn tân, rhag y felltith fawr.

Tynnodd Tom ei darian oddi ar ei gefn a'i defnyddio i wasgu'r rhedyn. 'Beth am i ni orffwys am ychydig

wrth astudio'r map?' meddai
wrth Elena.

'Syniad da!' atebodd Elena gan
ddisgyn i'r llawr wrth ymyl Arian.

Pwysodd Storm drosodd a gorffwys
ei drwyn ar ei hysgwydd, gan
weryru'n ysgafn.

Estynnodd Tom fap hudol Afantia
o'i boced.

Anrheg oedd y map gan gynghorydd
pwysicaf y brenin, y Dewin Aduro.

Eisteddai Tom wrth ymyl Elena.
Wrth i'w fys ddilyn amlinell y coed,
y bryniau a'r llynnoedd, codai'r lluniau
o'r papur gan sefyll cyn daled ag ewin
ei fawd. Roedd llinell werdd ddisglair
yn dangos y llwybr a droediodd y ddau
ohonyn nhw o gaeau iâ'r gogledd pell
i'r goedwig fawr hon yn y dwyrain.
'Rydyn ni bron â chyrraedd cwr y
goedwig,' meddai Tom yn falch.

Pwyntiodd Elena at fynydd bychan
ar y map, y tu draw i'r goedwig.

'Mae'n rhaid mai llosgfynydd ydy hwnna,' meddai. Wrth iddi edrych, codai cymylau bach o fwg o'r mynydd ar y papur.

'Yn ôl y sôn, llosgfynydd cwsg ydy o,' meddai Tom. 'A dyna lle byddwn ni'n dod o hyd i Epos.' Teimlai'n gyffrous wrth edrych ymlaen at y Cyrch. 'Mae Aduro'n dweud mai Epos ydy'r Bwystfil cryfaf ohonyn nhw i gyd.'

Gwgodd ar y map. 'Pam byddai unrhyw un yn adeiladu pentref mor agos at losgfynydd – hyd yn oed llosgfynydd cwsg?'

'Mae'r pridd o amgylch llosgfynyddoedd yn ffrwythlon iawn, felly mae cnydau'n tyfu'n dda yno,' meddai Elena. 'Mi ddysgais i hynny gan fy ewythr.' Edrychodd i lawr ar ei dwylo. 'Mae 'na amser hir ers i mi adael fy mhentref. Dwi'n hiraethu am y bobol yno.'

Gwenodd Tom arni. 'Ar ôl i ni orffen

y Cyrch, dwi'n siŵr y bydd Aduro'n
mynd â ti adref.'

'Ond beth amdanat ti?' meddai
Elena. 'Fyddi di'n mynd 'nôl at dy
fodryb a dy ewythr yn Errinel?

'Byddaf, mae'n debyg,' meddai
Tom gan edrych i ffwrdd. 'Ond fy
mhrif ddymuniad ydy dod o hyd i
'nhad.'

Roedd ei fam wedi marw ar
enedigaeth Tom, a'i dad, Taladon,
wedi diflannu'n fuan wedyn. Cafodd
Tom ei fagu gan ei fodryb a'i ewythr
– ond roedd yn dal i obeithio dod
o hyd i'w dad rywbryd. Y cyfan
a wyddai oedd bod Taladon wedi
gwasanaethu'r Brenin Iago yn
y gorffennol, yn union fel roedd Tom
yn ei wneud yn awr...

'Aros.' Sniffiodd Tom yn awr.
'Wyt ti'n gallu arogli... mwg?'

Pesychodd Elena. 'Mae'n rhaid bod
rhywun wedi cynnau tân.'

Yn sydyn clywyd dwndwr mawr
trwy'r goedwig, ac ysgydwyd y llawr
oddi tanyn nhw. Gweryrodd Storm a
chodi ar ei garnau ôl mewn ofn wrth
i Tom ac Elena straffaglu ar eu traed.
Edrychodd Tom i fyny. Trwy'r dail
cafodd gipolwg ar gymylau o fwg
tywyll yn cuddio'r awyr. Saethai
llinellau main o fflamau trwy'r
cymylau fel sêr gwib.

'Y llosgfynydd!' ebychodd Elena.
'Mae o ar fin ffrwydro!'

'Rhaid i ni gysgodi,' meddai Tom.
'Mae'n amlwg fod yr aderyn tân yn
achosi cynnwrf!'

Yna rhewodd Elena. 'Edrycha!' meddai'n ofnus, gan rythu'n syth heibio i Tom.

Trodd Tom a theimlo'i galon yn neidio i'w wddf. Safai aderyn anferth mewn llecyn agored heb fod ymhell oddi wrthyn nhw. Roedd ganddo big fain, finiog a disgleiriai fflamau lliw fioled o'i amgylch.

Roedd rhuban aur wedi'i glymu o amgylch un o'i goesau cyhyrog a mygai'r ddaear o dan ei grafangau. Ysgubodd ei adenydd llachar, anferth yn erbyn y llwyni gerllaw – a'u rhoi nhw ar dân.

'Epos,' anadlodd Tom, a'i fysedd yn tynhau o amgylch carn ei gleddyf. 'Mi ddaethon ni yma i chwilio amdano fo – ond fo sydd wedi dod o hyd i ni!'

Culhaodd llygaid coch ffyrnig y Bwystfil wrth iddo esgyn i'r goedwig eirias. Gwelodd Tom belen o dân yn ffurfio o'r fflamau lliw fioled wrth ei draed.

Yna, gyda gwaedd ffyrnig, taflodd Epos y belen dân – yn syth at Tom!

PENNOD DAU

CYFRINACHAU

'Dos 'nôl!' gwaeddodd Tom at Elena, gan daflu'i darian o'i flaen.

Gwthiodd Elena Storm â'i holl nerth i mewn i ganol y coed trwchus, ac Arian yn cyfarth wrth ei sodlau.

Trawodd y belen dân yn erbyn y darian a ffrwydro. Ebychodd Tom wrth i gannoedd o farwor fioled bychain hedfan drwy'r awyr a chynnau pob dim o'u cwmpas.

Ceisiodd beidio â chynhyrfu a throdd at ei ffrind.

'Dos â Storm,' gwaeddodd. 'Marchoga mor gyflym ag y gelli di 'nôl i'r pentref wrth droed y llosgfynydd i gael help.'

Neidiodd Elena ar gefn y ceffyl gan dagu ar y mwg du, trwchus.

'Bydda'n ofalus, Tom!' meddai. Yna gwasgodd ei sodlau yn ochr Storm, a neidiodd y ceffyl yn ei flaen, gydag Arian yn eu dilyn yn agos.

Trodd Tom yn ei ôl i wynebu Epos. Arswydodd wrth weld bod y Bwystfil yn ffurfio pelen dân arall yn ei grafangau.

Safodd Tom yn ddewr a chodi'r darian bren. Ar waelod y darian, roedd cen disglair a gafodd gan Tania'r ddraig dân. Roedd yn amddiffyn Tom rhag tân – ond a allai ei amddiffyn rhag ergyd arall o fflamau hudol Epos?

Ergydiodd y belen dân yn erbyn y darian â'r fath nerth nes i Tom gael ei daro i'r llawr. Cododd mwg o'r darian, ond roedd yn dal yn un darn.

Crawciodd yr aderyn tân yn flin, yna gwthio'i ffordd trwy'r canghennau a hedfan i fyny i'r awyr lwyd.

'Tyrd 'nôl!' gwaeddodd Tom a'r mwg yn llosgi'i lygaid. 'Dwi heb orffen efo ti eto!'

Ond erbyn hyn roedd fflamau wedi'i amgylchynu. Roedd pelen dân y Bwystfil wedi cynnau'r holl goed o'i gwmpas.

'Be wna i?' gofynnodd iddo'i hun mewn braw.

Wrth iddo chwilio'n enbyd am ffordd i ddianc rhag y tân, gwelodd rywbeth yn rhuthro tuag ato.

Criw o ddynion yn gwisgo masgiau!

Cyn i Tom allu ymateb, roedd rhywrai yn gafael yn ei arddyrnau a'i bigyrnau, ac yn ei godi o'r llawr...

'Hei!' gwaeddodd Tom. 'Gadewch lonydd i mi!'

'Paid â bod mor anniolchgar,' meddai un o'r dynion a ddaliai yng ngarddyrnau Tom. 'Byddai unrhyw un yn meddwl nad wyt ti eisiau i ni dy helpu!'

'Dy ffrind anfonodd ni. Mae hi'n aros amdanat yn y pentref,' eglurodd un arall a oedd yn dal ym migyrnau Tom.

Teimlai Tom don o ryddhad, ac ar ôl ychydig funudau gollyngodd y dynion Tom 'nôl ar y llawr. Roedden nhw wedi dianc rhag y fflamau poethaf.

Safodd Tom ar ei draed a brwsio'r dail oddi ar ei wisg. 'Diolch! Fi yw Tom, gyda llaw.'

'Fi yw Raymond,' meddai'r dyn cyntaf. 'Bydd yn rhaid i ni dy adael di yma am y tro. Does dim posib mynd i'r pentref o achos y tân. Os na ddiffoddwn ni'r fflamau, bydd ein cartrefi'n cael eu llosgi'n ulw. Gan fod y llosgfynydd ar fin ffrwydro unrhyw funud, dydy pethau ddim yn edrych yn dda. Ond mae'n rhaid i ni wneud rhywbeth.'

Yna cododd y llen drwchus o fwg, a sylweddolodd Tom eu bod yn y pentref a oedd yn agos at droed y llosgfynydd. Roedd y tân bron â chyrraedd y tai, ac roedd criw o bentrefwyr yn ceisio'i ddiffodd. Gwyliodd Tom Raymond a'r dyn arall yn rhuthro 'nôl er mwyn helpu.

Yna teimlodd rywbeth yn llyfu'i law. Arian oedd yno!

Cyrhaeddodd Elena yn cario stên o ddŵr. 'O, Tom!' meddai. 'Dwi mor falch dy fod yn iawn.' Wrth iddo lowcio'r dŵr yn ddiolchgar, gofynnodd mewn llais tawel, 'Beth ddigwyddodd i Epos?'

'Mae o wedi hedfan i ffwrdd,' meddai Tom, yn dal i anadlu'n ddwfn wrth i Storm blygu'n ei flaen ac anwesu'i wallt.

'Rydyn ni wedi cyfarfod chwe Bwysfil erbyn hyn,' meddai Elena, 'a doedd yr un ohonyn nhw wedi dod i chwilio am helynt – ar wahân i hwn.'

'Dwi'n gwybod,' cytunodd Tom, gan wylio'r pentrefwyr yn rhedeg 'nôl a 'mlaen yn ceisio diffodd y tân yn y goedwig. 'Mae rhywbeth yn dweud wrtha i fod Epos o ddifri. Roedd wedi gwneud yn siŵr fod y tân yn amgylchynu'r pentref cyfan. Rŵan does neb yn gallu mynd i mewn nac allan.'

Cytunodd Elena. 'Welaist ti'r rhuban aur o amgylch ei goes?'

'Mae'n rhaid mai dyna sut mae Moelfryn yn ei reoli,' meddai Tom. 'Mae'n rhaid i ni'i dynnu, a hynny'n gyflym.'

Yn sydyn, ymddangosodd bachgen tenau, gwallt golau o'r goedwig eirias Roedd tua'r un oed â Tom. Pesychai'n ddrwg ac roedd ganddo sach wedi'i llosgi yn un llaw. Mae'n rhaid ei fod wedi ceisio'i defnyddio i ddiffodd y tân. Roedd darn o hen arfwisg yn amddiffyn ei ên a'i wddf. Disgynnodd y bachgen ar y gwair.

'Wyt ti'n iawn?' gofynnodd Tom iddo, gan ei helpu i dynnu'r arfwisg o amgylch ei wddf. 'Beth ydy dy enw di?'

'Owen,' meddai'n gryg gan rythu i fyny arnyn nhw. Roedd ei wyneb yn ddu gan fwg. 'Mae ein pentref ni'n mynd i gael ei ddinistrio! Does dim digon ohonon ni i ymladd y tân.' Rhoddodd Elena'r dŵr iddo, ac yfodd y bachgen yn awchus.

'Ble mae pawb arall?' gofynnodd Tom, gan edrych yn ofalus ar y darn o arfwisg yn llaw'r bachgen.

'Mi adawodd y rhan fwyaf pan ddechreuodd y llosgfynydd wneud sŵn,' meddai Owen yn wan. 'Arhosodd fy nheulu i ac ychydig o rai eraill i geisio amddiffyn y cnydau. Doedden ni ddim yn sylweddoli pa mor ddifrifol fyddai pethau'n mynd.'

Edrychodd Elena draw tuag at fwg y llosgfynydd. 'A rŵan rydyn ni i gyd yn gaeth.'

'Paid â phoeni am hynny,' meddai
Tom. Gafaelodd yn Owen gerfydd ei
ysgwydd. 'Ble gest ti'r arfwisg yma?'

Gwgodd Owen. 'Y... yn yr ogofâu.'

'Ble mae gweddill yr arfwisg?'
mynnodd Tom. Roedd yn ceisio
cadw'i deimladau dan reolaeth, ond
gallai deimlo'i fysedd yn tynhau ar
ysgwydd y bachgen.

'Dwi ddim yn gwybod!' atebodd
Owen, gan dynnu'i hun yn rhydd.
Neidiodd ar ei draed ac edrych yn flin
ar Tom, gan rwbio'i ysgwydd.

'Tom!' Gafaelodd Elena yn llaw
Tom a'i symud. 'Beth sy'n bod
arnat ti?'

'Mae'n flin gen i,' sibrydodd. 'Ond
ti'n gweld... roedd yr arfwisg yma
wedi cael ei gwneud yn yr efail lle
ces i fy magu.' Pwyntiodd at gynllun
o forthwyl bach ar yr arfwisg fetel.
'Roedd fy ewythr yn rhoi'r un cynllun
ar bopeth roedd yn ei werthu.'

Cymerodd Elena'r arfwisg a'i harchwilio'n fanwl. 'Hei, mae rhywbeth arall wedi'i grafu arni hefyd.' Rhwbiodd y parddu a'r llwch o ymyl metel yr arfwisg, a darllen, 'T...A...L...A...'

'Taladon,' sibrydodd Tom yn gynhyrfus. 'Elena! Dad oedd yn berchen yr arfwisg yma!'

DIANC I'R OGOFÂU

Gwisgodd Tom y darn o arfwisg.
Roedd yn ffitio'n berffaith.

Rhythodd Elena arno. 'Mae
hynny'n golygu bod gan dy dad
arfwisg pan oedd yn fachgen.
Ond pam?'

'Dwi ddim yn gwybod,' atebodd
Tom. 'Doedd fy nhad ddim yn
farchog,' meddai gan ddiosg y darn
o arfwisg ac edrych arno'n feddylgar.

Yr eiliad honno, ysgydwodd y ddaear oddi tanyn nhw unwaith eto, a thasgai fflamau o dân rhuddgoch drwy'r awyr.

'Y llosgfynydd!' ochneidiodd Owen.

Gafaelodd Elena yn ei gwddf. Gallai Tom deimlo'r un boen hefyd. Roedd yr aer yn sydyn yn llawer poethach. Roedd yn brathu eu crwyn, a phob un anadliad yn llosgi eu hysgyfaint.

'Chwiliwch am gysgod!' gwaeddodd Raymond gan ruthro o'r goedwig eirias yn cario dyn arall yn ei freichiau.

Helpodd Tom ac Elena Owen i gysgodi o dan dderwen fawr. Safai Storm uwch ei ben i'w amddiffyn wrth i gerrig a pharddu ddisgyn yn gawod o'r awyr. Gwibiai Arian o amgylch y llecyn agored yn helpu Raymond i arwain y pentrefwyr blinedig i gysgodi rhag y gwres.

Arhosai pawb yn nerfus wrth i'r tirgryniadau dawelu'n raddol.

Sychodd Raymond chwys a pharddu o'i wyneb. 'Allwn ni ddim diffodd y tân,' meddai'n fyr ei anadl. 'Ac os yw'r llosgfynydd yn ffrwydro, fydd dim gobaith ganddon ni yn y tir agored. Mae'n rhaid i ni gysgodi yn yr ogofâu, a gobeithio am y gorau.'

Edrychodd Elena ar Tom. 'Tybed a ddown ni o hyd i weddill yr arfwisg?' gofynnodd. Curai calon Tom yn galed. Gydol ei fywyd, roedd wedi bod eisiau gwybod mwy am ei dad. Rŵan roedd wedi dod o hyd i gliw – a hynny ar yr amser gwaethaf posib. Ysgydwodd ei ben. 'Y Cyrch sy bwysicaf rŵan.'

Tynnodd Raymond gorn o'i boced. 'Mi gana i'r corn argyfwng. Mae pawb yn y pentref yn gwybod bod rhaid mynd i'r ogofâu pan fyddan nhw'n ei glywed.'

Gwgodd Elena. 'Ond os ydy'r
llosgfynydd yn ffrwydro, bydd
y lafa'n llenwi'r ogofâu!'

'Does dim unman arall i ni fynd!'
meddai un o'r gwragedd.

'Arhoswch funud,' gwaeddodd Tom
gan estyn am fap hudol Afantia o'i
boced. Agorodd y map ac edrych yn
ofalus ar yr ogofâu. Rhedai llinell
denau, goch drwyddyn nhw –
llwybr! Rholiodd y map yn ei ôl yn
gyflym cyn i neb allu'i weld. 'Dwi'n
meddwl bod yna ffordd drwy'r
ogofâu fydd yn ein harwain at fan
diogel,' meddai. 'Dydy pen y llwybr
ddim yn bell oddi wrth y ddinas
frenhinol.'

'Digon posib,' nodiodd Raymond
yn araf.

'Efallai y gallwn ni ofyn i'r brenin
am help,' meddai Owen, a'i wyneb
yn goleuo.

'Dyma'n hunig gyfle,' meddai Tom.

Cytunodd Raymond a chanodd y corn – nodyn isel a fyddai i'w glywed am filltiroedd, meddyliodd Tom. Dilynodd Tom ac Elena Raymond wrth iddo eu harwain trwy adfeilion y pentref. Cariai Storm Owen ar ei gefn, ynghyd â dynes arall a oedd wedi brifo. Roedd cerrig miniog a pharddu trwchus yn gorchuddio'r ffyrdd a'r adeiladau. Llanwyd yr awyr ag arogl erchyll wyau wedi pydru. Credai Tom fod yr arogl yn dod o'r sylffwr a dasgai o grombil y llosgfynydd. Cerddai'r pentrefwyr yn dawel ar hyd y llwybr. Edrychai Arian o'i amgylch wrth iddo gerdded, ei lygaid yn llachar ac effro, yn barod i rybuddio pawb am y tirgryniad lleiaf.

Roedd gweddill y pentrefwyr eisoes wrth yr ogofâu erbyn i griw Tom a Raymond gyrraedd. Roedd yno nifer o ddynion a gwragedd, a phawb yn

welw, yn fudr ac wedi blino'n lân.
Gorweddai tri chi byr eu hanadl
wrth eu traed, a cherddodd Arian
draw i'w cyfarch. Er mwyn cael
digon o olau at y daith, roedd hen
wraig wrthi'n torri canhwyllau yn
ddarnau. Rhoddodd ddarn yr un i
Tom ac Elena, gan wenu arnyn
nhw.

Rhythodd Tom i mewn i geg
dywyll yr ogof. Mae'n rhaid bod ei
dad wedi archwilio'r ogofâu hyn
amser maith yn ôl. Ond a oedd
Taladon hefyd wedi cwrdd ag Epos?

'Mi arweinia i'r ffordd,' meddai
Tom gan droi at Raymond. 'Mae gen
i fap, a dwi'n llai blinedig na chi.
Galla i archwilio'r twneli, a gwneud
yn siŵr y gallwn ni a'r anifeiliaid
fynd trwyddyn nhw'n ddiogel.'

Gwenodd Raymond. 'Rwyt ti'n
fachgen penderfynol, Tom.
Dos di gyntaf.'

Wrth i Tom gamu i mewn i'r ogof teimlai'r awyr oer yn hyfryd ar ei groen. Roedd hi'n rhyddhad anadlu'r aer oerach. Ond wrth iddyn nhw fynd ymhellach i'r ogof, roedd yr awyr yn mynd yn feinach.

Llenwai sŵn clecian traed glustiau Tom. Cerddai Elena y tu ôl iddo gan

ddal llaw Owen. Galwai eiriau o
anogaeth ar bawb a oedd yn dilyn.
Pan edrychai Tom 'nôl, gallai weld
y pentrefwyr yn dal yn eu
canhwyllau, pob un yn ei bwll ei
hun o olau gwan. Disgynnai
nentydd o lwch o'r nenfwd tywyll
wrth i'r llosgfynydd grynu a rhuo.
Dechreuodd y cŵn udo, ond ar ôl i
Arian gyfarth yn gadarn,
ymdawelodd pawb. Cyffrôdd y
ddynes flinedig oedd yn hanner
cysgu ar gefn Storm wrth i'r ceffyl
droedio'n ofalus trwy droeon
y twneli.

Arweiniodd Tom y pentrefwyr i
lawr y llethrau ac i fyny'r llwybrau
peryglus. Roedd ei lygaid yn brifo
wrth iddo rythu ar y map yng
ngolau'r gannwyll. O'r diwedd,
cyrhaeddodd y criw fforch yn y
twnnel creigiog – a diflannodd
y llinell goch oddi ar y papur.

'Mae'n rhaid ein bod ni'n agos i'r ddinas frenhinol,' meddai Tom. 'Ond sut awn ni allan o'r twnnel?'

Edrychodd Elena ar y map a gwgu. 'Dwi'n meddwl y bydd yn rhaid i ni ddod o hyd i'n ffordd ein hunain.'

Edrychodd Tom ar y llwybr i'r chwith. 'Dwi'n meddwl bod cerrig wedi disgyn fan hyn,' sibrydodd. 'Mae'n siŵr fod yna ffordd allan ar un adeg – ond mae wedi'i chau'n llwyr erbyn hyn.'

Daeth dwndwr arall trwy'r graig hynafol. Ceisiodd Tom atal y braw rhag codi oddi mewn iddo. Ond roedd yn rhaid iddo ddweud wrth Elena beth oedd ar ei feddwl.

'Does dim ffordd allan,' meddai. 'Rydyn ni'n hollol gaeth!'

CHWEDLAU'R GORFFENNOL

'Tom,' sibrydodd Elena, a'i llygaid yn dywyll gan ofn. 'Os daw'r lafa a llenwi'r ogofâu, fydd hi ar ben arnon ni. Byddwn ni i gyd yn marw!'

Llyncodd Tom yn galed. 'Dwi'n gwybod.'

'Beth sy'n bod?' gofynnodd un o'r gwragedd yn nerfus.

'Dim byd,' meddai Tom. Doedd o ddim eisiau codi ofn ar y pentrefwyr.

'Af i weld beth sydd o'n blaenau. Arhoswch chi fan hyn.'

Ond wedi iddo gerdded cam neu ddau, rhewodd. Rhedai ias o ofn drwyddo.

Gallai glywed sŵn crafu'n dod o bentwr o gerrig o'i flaen. Roedd rhywbeth yn ceisio torri trwodd!

'Epos!' sibrydodd Elena.

Gafaelodd Tom yn ei gleddyf yn barod am y frwydr. 'Gawn ni weld yn ddigon cyflym!'

Yna, er syndod i Tom, neidiodd Arian yn ei flaen a dringo'r cerrig. Roedd yn cyfarth ac yn gwichian yn awyddus. Gosododd Tom ei glust yn erbyn y graig – a theimlai ryddhad yn llifo drwy'i gorff.

'Rydyn ni yma!' gwaeddodd, gan daro carn ei gleddyf ar y graig. 'Allwch chi 'nghlywed i?'

'Beth wyt ti'n ei wneud?' gofynnodd Elena wrth i'r pentrefwyr ddechrau siarad ymysg ei gilydd.

'Dwi'n clywed lleisiau,' eglurodd
Tom. 'Mae 'na bobl y tu allan wedi
dod i'n hachub ni.'

Disgynnodd cawod o lwch ar ben
Arian wrth i garreg fawr gael ei
symud. Daeth heulwen wan i mewn
i'r ogof dywyll, a rhoddodd dyn â
helmed ei ben trwy'r twll. Roedd Tom
yn adnabod yr arfbais ar yr helmed ar
unwaith.

'Un o filwyr y Brenin Iago!'
gwaeddodd.

'Mae pobl yn fyw yma!' gwaeddodd y milwr dros ei ysgwydd ar y milwyr eraill. Yna trodd yn ei ôl ac edrych ar y bobl fudr yr olwg. 'Rydw i yma i achub y pentrefwyr rhag y llosgfynydd. Pawb allan, yn gyflym – gallai'r cerrig ddisgyn unrhyw funud.'

Safodd Tom i'r naill ochr ac edrych ar y pentrefwyr wrth iddyn nhw ymbalfalu am olau dydd. Wrth i'r milwyr eu helpu o'r ogof, teimlai Tom ei hun yn llenwi â balchder. Roedd o wedi'u hachub!

'Da iawn, Tom,' meddai Elena gan wenu wrth i Arian chwarae gyda thri chi yn y gwair gwlyb y tu allan. Anadlai Storm yn ysgafn ar ei hysgwydd. 'Ond mae'n siŵr y dylen ni fynd 'nôl tua'r llosgfynydd.'

Clywodd Owen eu sgwrs wrth iddo gerdded tua cheg yr ogof. 'Rydych chi'n mynd i geisio dod o hyd i'r aderyn hudol 'na, on'd ydych chi?' sibrydodd.

Gwgodd Tom. 'Rwyt ti'n gwybod am Epos?'

'W… w… welais i o tua phythefnos 'nôl.' Llyncodd Owen ei boer. 'Dyna'r peth mwyaf brawychus dwi wedi'i weld erioed, ond doedd neb yn fy nghredu i…'

Rhoddodd Elena ei llaw ar ysgwydd Owen i'w gysuro.

'Roeddwn i ar goll yn yr ogofâu,' aeth Owen yn ei flaen. 'Rydw i'n meddwl mod i wedi dod o hyd i'w nyth. Dyna lle ddes i o hyd i arfau dy dad. Hedfanodd Epos yn syth tuag ata i, ond es i 'nghwrcwd ac wedyn diflannodd o'r ogofâu. Roeddwn i mor lwcus.'

'Ble oedd y nyth?' gofynnodd Tom.

'Dydw i ddim yn siŵr,' atebodd Owen. 'Dwi wedi rhoi saethau mewn sialc ar y waliau i ddangos lle roeddwn i wedi bod. Ond welais i ddim un ohonyn nhw ar y ffordd yma.'

'Wel, mae'n ymddangos fod gan Epos nyth newydd erbyn hyn – yn y llosgfynydd,' meddai Elena. 'A gallai hwnnw ffrwydro unrhyw eiliad!'

'Pob lwc,' meddai Owen wrth iddo ddringo at yr wyneb. 'A byddwch yn ofalus!'

Yn sydyn neidiodd milwr y brenin i lawr i'r ogof. 'Beth ydych chi'n dau'n ei wneud?' gofynnodd gan syllu'n agos ar Tom.

'Mae ganddon ni dasg i'w gorffen yn y pentref,' meddai Tom.

Rhythodd y milwr unwaith eto ar wyneb Tom. 'Ydw i wedi dy weld di o'r blaen?'

'Naddo, syr,' meddai Tom.

'Rwyt ti'n fy atgoffa i o rywun oeddwn i'n arfer ei nabod.' Nodiodd y milwr. 'Ei enw oedd Taladon. Bachgen â blas am antur – yn union fel ti!'

Ebychodd Elena, a lledodd llygaid Tom. 'Dwi wedi clywed am Taladon,' meddai Tom heb ddatgelu gormod wrth y milwr. 'Sut ydych chi'n ei nabod o?'

'Amser maith yn ôl, pan oedd y Brenin Iago yn newydd i'r orsedd roedd wedi recriwtio bechgyn i ddod yn farchogion – ac roedd Taladon yn un ohonyn nhw.'

'Oedd o'n farchog?' gofynnodd Tom, a'i galon yn curo'n gyflym. 'Beth ddigwyddodd iddo fo?

Disgynnodd wyneb y milwr. 'Dydw i ddim yn gwybod.' Ysgydwodd law Tom a gwenu. Yna ymbalfalodd allan o'r ogof.

Teimlai Tom yn falch ac yn gynhyrfus. 'Roedd o'n nabod fy nhad!' Tynhaodd ei law am garn ei gleddyf. 'Ac roedd fy nhad yn farchog! Dyma fy nhynged, Elena. Tra bydd gwaed yn fy ngwythiennau, bydda i'n cwblhau Cyrch y Bwystfilod!'

PENNOD PUMP

MAES Y GAD

Gan droedio'n ofalus, aeth Tom ac
Elena 'nôl drwy'r ogofâu a'r twneli
troellog. Arweiniodd Storm y ffordd,
a'i gynffon yn ysgwyd wrth iddo
ddilyn trywydd yr arogl 'nôl
i'r pentref.

'Dwi'n falch bod Storm ganddon
ni,' meddai Elena gan syllu o'i
hamgylch yng ngolau'r gannwyll.

'Dydw i ddim yn nabod y ffordd yma o gwbl.'

'Na fi chwaith,' cyfaddefodd Tom gan arwain Storm wrth ei dennyn. 'Hei, beth yw hwnna?'

Daliodd Elena ei channwyll wrth wal y twnnel. Roedd croes sialc wedi'i chrafu wrth ymyl agoriad yn y graig.

'Mae'n siŵr fod Owen wedi gadael hwn er mwyn nodi'r ffordd pan aeth ar goll,' meddai Tom. 'Mae'n rhaid ein bod ni'n agos at nyth Epos!'

Roedd Storm yn rhy fawr i fynd trwy'r bwlch yn y wal. Aeth Tom i weld beth oedd yr ochr arall i'r hollt, gan adael Storm yn y twnnel. Aeth Elena ac Arian ar ei ôl.

Yn sydyn, roedden nhw mewn ogof fwy. Yng ngolau gwan eu canhwyllau gwelai Tom frigau, cerrig a dail crin wedi'u pentyrru yn un bwndel mawr blêr.

'Nyth ydy hwn, yn bendant,'
sibrydodd. Yna gwelodd ddarnau o
arian yn disgleirio yn y dail. Crynai
ei fysedd wrth iddo afael mewn arfau
traed a menig dur. Roedd y llythyren
T wedi'i chrafu ar y ddau.

'Ai rhai dy dad di ydyn nhw?'
sibrydodd Elena.

Nodiodd Tom. Roedd wedi dyheu am gael gwybod mwy am ei dad drwy gydol ei oes. Rŵan teimlai fod ei dynged ei hun mewn ffordd ryfedd yn cysylltu â'r hyn ddigwyddodd i'w dad. Gwisgodd yr arfau am ei draed a rhoddodd y faneg ddur am ei law dde. Roedden nhw'n ffitio'n berffaith.

'Tyrd, awn ni 'nôl at Storm,' meddai Elena.

'Does dim amser i'w golli,' meddai Tom yn gadarn. 'Mae'n rhaid i ni atal Epos cyn i'r llosgfynydd ffrwydro!'

Rywsut, teimlai Tom yn gryfach wedi iddo wisgo arfau'i dad, a dilynodd Elena ac Arian 'nôl trwy'r bwlch yn y wal lle roedd Storm yn aros yn amyneddgar yn y twnnel tywyll. Arweiniodd Arian y ffordd allan.

Wrth iddyn nhw ddod o'r ogofâu, suddodd calon Tom.

Roedd yr awyr yn annaturiol o dywyll, fel pe bai storm fawr ar fin torri a'r goedwig gyfan ar dân. Roedd pennau'r coed ar goll mewn cwmwl anferth o fwg du. Nadreddai afon fyrlymus o lafa berwedig o amgylch troed y llosgfynydd, fel dŵr o amgylch castell.

Neidiodd Tom ar gefn Storm a rhoi Elena i eistedd y tu ôl iddo. 'Tyrd,' meddai, 'awn ni draw at y llosgfynydd. Pe bawn i'n gallu dod o hyd i Epos a'i wylltio fo ddigon, bydd o'n ymosod... wedyn byddwn i'n gallu tynnu'i sylw a thorri'r gadwyn hudol.'

Gwasgodd Tom ei sodlau yn erbyn ochr Storm a neidiodd y ceffyl yn ei flaen gan garlamu trwy goedwig fechan ac i'r stryd fawr i gyfeiriad y llosgfynydd. Roedd yn rhaid i Arian redeg er mwyn cadw'n agos a gwaeddai Elena arno i'w annog.

Aeth y gwres yn boethach wrth iddyn nhw agosáu at y llosgfynydd. Ymhen ychydig, safodd Storm o dan orchymyn Tom. Plygodd y ceffyl ei ben gan anadlu'n drwm. Diferai chwys oddi ar ei wddf a'i ysgwyddau.

'Edrycha!' Pwyntiodd Elena i fyny at ffigwr tywyll yn hedfan o amgylch copa'r llosgfynydd. 'Epos!'

Roedd Tom yn llawn ofn a rhyfeddod wrth weld y Bwystfil. Disgleiriai golau tywyll, hudol o'i gorff. Wrth i Tom wylio, plymiodd Epos i lawr i ganol y llosgfynydd – a chodi yn ei ôl eiliadau wedyn mewn afon o fflamau a lafa berwedig. Llosgai'r lafa lwybr i lawr ochr y llosgfynydd ac ymuno'n araf â'r afon o dân wrth ei droed.

'Os yw Epos am barhau i gynhyrfu'r llosgfynydd, bydd y ffrwydrad yn anhygoel,' meddai Tom. 'Gallai'r lafa ledu mor bell â'r ddinas frenhinol.'

Edrychai Elena'n welw. 'Gallai'r Brenin Iago gael ei gladdu yn ei balas ei hun!'

'Byddai'r deyrnas gyfan mewn anhrefn,' sylweddolodd Tom. 'Dyma'n union beth mae Moelfryn ei eisiau...'

'Tom, edrycha!' gwaeddodd Elena, gan bwyntio at yr awyr. 'Dwi'n meddwl bod Epos wedi'n gweld ni!'

Teimlai Tom ofn yn trywanu'i galon wrth i sgrech yr aderyn tân rwygo trwy'r awyr fyglyd. Roedd ei lygaid coch yn disgleirio wrth i Epos baratoi i ymosod!

YR AFON DÂN

Neidiodd Tom i lawr oddi ar gefn Storm. Cipiodd ei darian oddi ar ei ysgwydd a thynnu'i gleddyf wrth i gysgod y Bwystfil ddisgyn drostyn nhw. Gwaeddodd nerth ei ben a neidio i'w awyr, ei gleddyf yn ei law. Petai ond yn gallu torri trwy'r gadwyn hudol...

Ond trawodd crafangau marwol Epos y llafn o'i law nes ei fod yn hedfan trwy'r awyr.

Ciciodd Storm ei goesau blaen yn wyllt wrth i'r aderyn tân hedfan uwchben a gwreichion o dân yn tasgu ar ei ôl. Cyfarthai Arian yn ffyrnig gan ddangos ei ddannedd.

Mewn dychryn, edrychodd Tom am ei gleddyf. Mae'n rhaid ei fod

wedi disgyn i'r llwyni y tu ôl iddo.
Allai o fyth ddod o hyd iddo mewn
pryd i atal ymosodiad arall!

Ond yna gwelodd beth roedd
Elena'n ei wneud. Roedd hi wedi
dod oddi ar gefn Storm ac yn rhoi
saeth ar ei bwa. Cododd ei harf ac yn
anelu'n ofalus.

Wwwssshhh! Wrth i Epos hedfan
tuag atyn nhw, saethodd Elena'r
saeth. Sgrechiodd y Bwystfil a throi'n
gelfydd i'w hosgoi. Yn gyflym,
saethodd Elena unwaith eto.
Chwibanodd y saeth heibio i ben y
creadur. Roedd llygaid y Bwystfil yn

goch ac yn wyllt… yna trodd a hedfan trwy'r mwg tuag at geg y llosgfynydd.

'Fe lwyddaist, Elena!' gwaeddodd Tom. 'Anfonaist ti Epos i ffwrdd!'

Cyfarthai Arian y tu ôl iddyn nhw. Roedd wedi tynnu cleddyf Tom allan o'r llwyni â'i ddannedd. Anwesodd Tom y blaidd a gafael yn ei arf.

'Sut yn y byd wnawn ni groesi'r lafa a dringo'r mynydd?' holodd Elena.

'Dydyn *ni* ddim am ei groesi,' meddai Tom. '*Fi* sydd am wneud.'

Gwgodd Elena. 'Ar dy ben dy hun?'

Gafaelodd Tom yn ei darian. 'Mae hon yn fy amddiffyn i rhag tân – ac ar ôl y frwydr yn erbyn Tagus, y ceffyl-ddyn, mae hefyd yn gallu gwneud i fi redeg yn gyflym iawn. Galla i ei defnyddio fel rafft a gwibio dros wyneb y lafa.'

Gwgodd Elena eto. 'Ond Tom, os ddisgynni di—'

'Does dim dewis arall,' mynnodd
Tom. 'A does dim lle i neb arall
ar y darian. Fy nghyfle gorau i
guro Epos ydy ar ei dir ei hun,
ar ben y llosgfynydd. Ond efallai y
bydd yn ceisio ymosod arna i wrth
i fi ddringo. Os bydd yn gwneud,
dwi eisiau i ti saethu ato efo'r
saethau yna.'

'Gelli di ddibynnu arna i.' Culhaodd
llygaid Elena'n benderfynol.

Teimlai Tom yn ofnus a chynhyrfus
yr un pryd. Ond gwyddai un peth yn
sicr – roedd prawf mwyaf ei fywyd ar
fin digwydd.

Cofleidiodd Elena. Gwthiodd Storm
fraich Tom gyda'i drwyn, yna
chwythu'n ysgafn ar ei wallt.
Gwenodd Tom ac anwesu gwddf y
ceffyl. Yna aeth Tom i'w gwrcwd
a dweud hwyl fawr wrth Arian.
Llyfodd y blaidd llwyd ei law a rhythu
i fyny arno.

Edrychodd Tom ar ei ffrindiau â chymysgedd o falchder a thristwch. Roedden nhw i gyd wedi tyfu mor agos ar bob Cyrch. Ond rŵan roedd yn rhaid iddo'u gadael. Trodd a cherdded i lawr y bryn at ymyl y llif lafa. Curai'i galon a theimlai'r gwres yn llosgi'i gorff wrth iddo lithro'i darian yn ofalus ar wyneb y lafa. Dechreuodd y pren hudol hisian a mygu.

'Dyma ni!' meddai Tom gan ddal ei wynt wrth iddo gamu'n ofalus ar ei darian. Siglodd y darian, ond daliodd yn gadarn oddi tano. Yna plannodd ei gleddyf yn erbyn y lan a gwthio â'i holl nerth gan yrru'i hun ar draws yr afon fflamgoch.

Poerai dafnau gwynias o lafa o'r llyn o dân, a daliodd Tom ei freichiau ar led i'w helpu wrth i'w darian sglefrio ar draws yr wyneb, gan gyflymu wrth iddi fynd yn ei blaen.

Roedd y rhoddion a gafodd gan
Tagus a Tania yn ei helpu i groesi'r
afon farwol!

Wrth i Tom gyrraedd y lan,
neidiodd ar y tir sych â gwaedd o
lawenydd. Roedd yn ddiogel!

Gallai glywed Elena'n gweiddi'n
falch a chododd ei law arni. Ond

wrth iddo ddefnyddio'i gleddyf i godi'i darian fyglyd o'r lafa, ysgydwodd y llawr o dan ei draed. Edrychodd i fyny a gweld Epos yn dal i hedfan trwy'r cymylau tân a oedd yn poeri mwg o geg y llosgfynydd.

Ar ben y mynydd, roedd tynged Tom yn aros amdano. Taflodd ei darian dros ei ysgwydd, llithro'i gleddyf i'r wain a dechrau dringo.

Y FFIGWR TYWYLL

Dringodd Tom y creigiau anferth tua chopa'r llosgfynydd. Ond roedd y dasg yn mynd yn fwy ac yn fwy peryglus. Bu bron â disgyn droeon wrth iddo lithro ar gerrig mân.

Roedd yn dal ei afael ar ddarn serth o graig pan welodd Epos Tom trwy'r cymylau duon. Rhoddodd yr aderyn tân sgrech uchel a dechrau hedfan tuag ato er mwyn ymosod arno.

Aeth Tom am ei darian. Ond gafaelodd Epos ynddi â'i big a'i dynnu o afael Tom.

'Na!' gwaeddodd Tom mewn dychryn. Tynnodd ei gleddyf o'r wain a'i chwifio'n wyllt tuag at Epos. Aeth y bwystfil yn ei ôl gan ddal y darian o gyrraedd Tom. Yna trodd a hedfan i ffwrdd, a llwybr o dân yn ei ddilyn.

Teimlai Tom yn sâl wrth iddo sychu'r chwys o'i dalcen. Roedd wedi colli'i amddiffyniad gorau – ei darian hud. Ond roedd wedi dod yn rhy bell i droi 'nôl.

Dechreuodd ddringo'r graig serth eto. Byrlymai mwg drewllyd allan o dyllau yn y graig gan losgi'i lygaid. Llosgai'i wddf a'i ysgyfaint hefyd bob

tro yr anadlai ac roedd y nwyon yn
ei wneud yn benysgafn. Arhosodd
Tom am eiliad ac yfed yn sychedig o'i
botel ddŵr. Doedd brwydro yn erbyn
Epos ar y math hwn o dir ddim yn
mynd i fod mor hawdd ag y tybiai –
os na fyddai wedi baglu yng nghanol
y mwg ac wedi disgyn oddi ar y
llwybr cyn hynny...

'Tro 'nôl, Tom. Mae'r Cyrch hwn
yn ormod i ti.'

Daeth sibrwd oeraidd o'r tu ôl iddo.
Trodd Tom mewn braw. Roedd
ffigwr tal mewn gwisg laes, dywyll
yn sefyll ychydig gamau oddi wrtho,
wedi'i amgylchynu gan fwg melyn,
trwchus. Doedd Tom ddim yn gallu
gweld ei wyneb. Plygai ei freichiau
tenau dros ei frest. Gwnâi'r ffigwr i
Tom grynu er gwaetha'r gwres
ffyrnig.

'Pwy... pwy ydych chi?' gofynnodd
Tom yn nerfus.

'Rwyt ti'n gwybod pwy ydw i.' Camodd y ffigwr tuag ato. 'Fi yw Moelfryn.'

Teimlai Tom don fawr o arswyd yn torri drosto. Roedd y Dewin Du, a oedd wedi caethiwo holl Fwystfilod Afantia i'w bwrpas dieflig ei hun, yn sefyll o'i flaen! Crynai dwylo Tom wrth iddo dynnu'i gleddyf allan eto.

Chwarddodd Moelfryn. 'Rydw i'n gwybod dy fod di'n ddewr, Tom, ond doeddwn i ddim yn meddwl dy fod di'n wirion. Wyt ti wir yn meddwl y gall cleddyf wneud niwed i fi?'

'Sefwch 'nôl,' meddai Tom gan geisio atal ei lais rhag crynu.

'Rwyt ti ac Aduro'n ffyliaid,' meddai'r ffigwr tywyll yn gras.

'Tra'i fod ef wedi bod yn dy wylio di'n teithio trwy'r deyrnas yn rhyddhau'r Bwystfilod, mae Aduro wedi bod yn rhy brysur i chwilio amdanaf fi – ac Epos, y Bwystfil cryfaf yn Afantia.' Cerddodd Moelfryn oddi yno trwy'r mwg.

'Rwyt ti wedi bod yn was da i fi, fachgen. Yn union fel dy dad...'

Teimlai Tom ias yn rhedeg drwyddo. 'Dydych chi ddim yn nabod fy nhad i. Rydych chi'n dweud celwydd.'

'Mae Taladon wedi helpu llawer arna i,' meddai Moelfryn. 'Fyddai fy nghynlluniau wedi methu oni bai amdano ef.'

'Celwyddgi!' bloeddiodd Tom. Cododd ei gleddyf a'i daflu hun yn wyllt at y ffigwr tywyll.

Gan chwerthin yn fuddugoliaethus, diflannodd Moelfryn.

Yn sydyn, roedd Tom yn hedfan drwy wagle. Roedd wedi disgyn dros ochr clogwyn!

Fflachiai gwirioneddau erchyll trwy'i feddwl wrth iddo ddisgyn trwy'r awyr fyglyd. 'Dwi wedi gadael i Moelfryn fy nhwyllo!' meddai mewn anobaith. 'Roedd wedi fy arwain oddi ar y llwybr saff. Roedd yn gwybod pe bawn i'n cael fy ngwylltio ddigon y byddwn i'n gwneud camgymeriad.'

Camgymeriad marwol.

Roedd ei Gyrch ar ben. Roedd wedi methu.

Caeodd ei lygaid wrth i'r ddaear ruthro tuag ato.

GOROESI'R GWAETHAF

Yn sydyn, cleciodd esgyrn Tom wrth iddo gael ei hyrddio 'nôl i fyny i'r awyr. Chwibanai awel heibio'i glustiau a throellodd ei ymennydd mewn dryswch. Beth oedd yn digwydd?

Agorodd ei lygaid ac ebychu. Roedd yn hongian oddi ar grafangau Epos! Roedd yr aderyn tân wedi'i gipio o'r awyr ac wedi achub ei fywyd!

Ond wrth i'r Bwystfil hedfan trwy'r
mwg a'r cymylau, suddodd calon
Tom wrth iddo sylweddoli nad oedd
ond un rheswm am hyn: roedd Epos
wedi'i achub er mwyn i'r aderyn ei
hun ladd Tom...

Doedd yr un Bwystfil arall wedi
dangos cymaint o gasineb. Sut allai
Tom lwyddo yn erbyn gelyn
mor farwol?

'Na!' meddyliai Tom yn benderfynol. 'Dwi ddim am adael i'r Cyrch orffen fel hyn.' Doedd o ddim wedi rhyddhau'r pum Bwystfil cyntaf er mwyn cael ei guro gan yr olaf! Meddyliodd am y ffordd yr oedd Moelfryn wedi'i dwyllo a bron â'i ladd – a gwyddai beth oedd yn rhaid iddo'i wneud. Byddai'n ymladd yn erbyn Moelfryn a'i gynlluniau dieflig hyd at ei anadl olaf. Daliai Tom ei afael yn ei gleddyf yn dynnach nag erioed.

'Tra bydd gwaed yn fy ngwythiennau,' ebychodd, 'wna i ddim rhoi'r gorau iddi!'

Anwybyddodd y boen yn ei ysgwyddau. Estynnodd i fyny a cheisio hollti'r gadwyn aur. Doedd o ond fodfeddi oddi wrthi. Ceisiodd ymestyn ei orau glas, ond doedd dim yn tycio.

Aeth Epos â Tom i ben y llosgfynydd a throelli'n ddiog dros ei geg agored.

Trwy'r mwg trwchus gallai Tom weld môr gwyllt o fagma eirias yn tasgu o grombil y ddaear. Roedd y gwres yn anhygoel. Teimlai'n ddigon poeth i losgi'r croen oddi ar ei esgyrn. Sgrechiodd y Bwystfil. Synhwyrai Tom fod yr aderyn yn chwarae ag ef, yn mwynhau codi ofn arno.

Unwaith eto, estynnodd Tom a cheisio torri'r gadwyn aur wrth i Epos newid cyfeiriad yn sydyn. Llithrodd y cleddyf o'i afael a disgyn i grombil y llosgfynydd.

'Na!' bloeddiodd Tom. Ni allai gredu'r peth. Roedd wedi colli'i darian *a'i* gleddyf. Sut yn y byd y gallai ennill rŵan?

'Mae fy meddwl i dal yn chwim,' meddyliodd yn dewr. 'Dwi ddim am ildio!' gwaeddodd ar Epos.

Cyn i'r Bwystfil allu'i ollwng i'r twll tanllyd, trodd Tom a gafael yng nghoes yr aderyn. Teimlai fel boncyff

yn llosgi. Bloeddiai Tom
mewn poen, ond roedd
yn rhaid iddo frwydro 'mlaen.

Rhuodd yr aderyn yn wyllt a
cheisio ysgwyd Tom o'i afael.
Berwai'r lafa'n ffyrnig oddi
tanyn nhw.

'Dwi ddim am ollwng fy ngafael!'
gwaeddodd Tom.

Ond trodd Epos a hedfan at grib y
llosgfynydd. Sylweddolodd Tom fod
Epos am geisio torri'i afael trwy'i
daro yn erbyn y graig! Daeth y graig
yn agosach ac yn agosach...

Ar yr eiliad olaf, rhyddhaodd Tom
ei afael a throelli trwy'r awyr. Roedd
fel petai'n disgyn am hydoedd –
ond o'r diwedd glaniodd ar silff gul,

a'r glaniad yn ergydio trwy'i gorff wrth iddo geisio dal ei afael. Roedd y graig yn chwilboeth ac yn llosgi'i groen. Ond gydag un ymdrech olaf, llwyddodd Tom i afael yn dynn ynddi.

Daliai Epos i gylchu uwch ei ben gan sgrechian yn wyllt a gwyddai Tom nad oedd ganddo obaith dringo dros ymyl y grib. 'Dwi'n gaeth,' meddyliodd. 'Targed hawdd.' Ond yna gwelodd hollt hir yn y graig lwyd. Oedd o'n ddigon llydan iddo fynd trwyddo? Roedd ei freichiau a'i goesau'n brifo, a theimlai'i groen mor amrwd nes bod pob symudiad yn boenus. Dechreuodd Tom wasgu trwy'r bwlch. Pe bai'n ddigon cyflym, byddai Epos yn meddwl ei fod wedi syrthio o'r graig.

'Y cwbl dwi ei angen rŵan ydy cyfle i gael fy nerth 'nôl,' meddai wrtho'i hun, 'a chynllunio...'

Gydag un ymdrech fawr olaf, tynnodd Tom ei hun trwy'r hollt yn y graig. Teimlodd ei hun yn disgyn ac yna'n glanio ar silff arall, oerach – y tu allan i'r llosgfynydd, yn bell o afael yr aderyn tân.

Gorweddodd Tom ar y ddaear grynedig yn ymladd am ei anadl. Edrychai allan dros wastadedd bach creigiog yn agos at gopa'r llosgfynydd. Doedd ganddo ddim arfau nac unman i gysgodi. Codai llethr serth, tywyll uwch ei ben, yn arwain at geg y llosgfynydd.

Sylweddolodd Tom fod yr hollt yr oedd newydd wasgu trwyddo yn rhan o doriad du, trwchus a redai ar draws y llethr.

Taniodd un gobaith olaf yn ei galon. Uwchben y toriad roedd miloedd o dunelli o gerrig yn pwyso 'nôl tua'r llosgfynydd. Pe bai Tom ond yn gallu meddwl am ffordd i'w rhyddhau i mewn i geg y llosgfynydd, gallai rwystro llif y lafa, a dinistrio cynlluniau Moelfryn...

'Rwyt ti'n rhy hwyr, fachgen.' Clywai Tom sibrwd rhewllyd. 'Mae dy Gyrch di ar ben.'

Trodd Tom a gweld bod ffigwr tywyll Moelfryn wedi ymddangos unwaith eto ar y gwastadedd o'i flaen.

Yr eiliad honno disgynnodd Epos i lawr o grib y llosgfynydd. Gallai Tom weld dau lygad coch yn rhythu arno. Cleciodd pig y Bwystfil anferth ar agor. Lledodd ei adenydd tywyll, disglair, a fflachiai ei grafangau yn y golau coch, isel.

Hyrddiodd yr aderyn tân yn ei flaen, yn barod i rwygo Tom yn darnau mân…

TANAU'R DINISTR

Gydag ochenaid, taflodd Tom ei hun o afael Epos. Roedd y Bwystfil yn mynd yn rhy gyflym iddo fedru aros, a thrawodd yn erbyn y graig. Ymbalfalodd Tom 'nôl i fyny'r llethr.

'Elli di ddim ennill, fachgen!' gwaeddodd Moelfryn.

Ceisiodd Tom ddianc o'r silff yn y graig. Ond roedd Epos yn rhy gyflym.

Ergydiodd ag un adain a chydio yn
Tom gerfydd ei wddf. Llefodd Tom
wrth iddo gael ei hyrddio trwy'r
awyr. Cyn iddo allu codi, gafaelodd
Epos ynddo â'i big anferth.
Gwaeddodd Tom mewn poen –
roedd fel petai'n cael ei wasgu
mewn gefail. Yna taflodd yr aderyn
tân ef i'r llawr. Roedd pob cyhyr
yn brifo. Llosgai'r cleisiau oedd dros
ei gorff.

Ond gorfododd ei hun i godi 'nôl ar
ei draed.

Chwyrnodd Moelfryn. 'Sut mae
gwneud i ti ildio, fachgen?'

'Wna i byth ildio,' gwaeddodd Tom
yn benderfynol.

'Rydw i wedi edrych i mewn i
feddwl Elena,' hisiodd Moelfryn.
'Dydy hi ddim yn credu y gelli
di ennill.'

'Dydy hynny ddim yn wir!'
Dychmygodd Tom wên ddewr ei

ffrind. 'Mae Elena'n credu ynof fi,
a dwi'n credu ynddi hi.'

'Rwyt ti'n ffŵl os wyt ti'n credu
hynny!' meddai Moelfryn. 'A beth
am yr anifeiliaid yr wyt ti'n meddwl
cymaint ohonyn nhw? Maen nhw
wedi colli ffydd ynot ti yn barod.
Mae blaidd y ferch yn arwain dy
geffyl drwy'r ogofâu tuag at y
ddinas frenhinol.'

'Fyddai Storm ac Arian fyth yn
gadael Elena!' gwaeddodd Tom.
'Maen nhw'n ffyddlon iddi.'

'Anifeiliaid ydyn nhw!' gwawdiodd
Moelfryn. 'Fel Epos a'r lleill i gyd –
dim ond Bwystfilod.'

Rhythai Tom wrth i Epos hofran
uwch ei ben. Hyd yn oed yn ei ofn,
gallai weld bod Epos yn greadur
anhygoel. 'Maen nhw'n fwy nag
anifeiliaid yn unig. Maen nhw...
chwedlonol.'

Disgynnodd Epos a rhoi'i grafangau
mawr ar frest Tom.

Chwarddodd Moelfryn. 'Mae'n ymddangos nad ydy Epos yn meddwl rhyw lawer o dy eiriau caredig.'

Llefodd Tom mewn poen wrth i'r aderyn tân ddechrau gwasgu'i asennau.

'Edrychwch ar yr arwr ifanc, dewr,' crechwenodd Moelfryn. 'Rwyt ti mor wan â dy dad.'

'Peidiwch chi â meiddio siarad am fy nhad,' ebychodd Tom. Ymladdodd â chrafangau Epos, gan geisio rhyddhau ei hun o afael y Bwystfil. Roedd y boen yn ofnadwy ac roedd y byd yn dechrau troelli. 'Dwi'n credu ynddo fo,' meddai gan grensian ei ddannedd, 'fel dwi'n credu yn hawl y Bwystfilod i fod yn rhydd!'

Aeth gafael Epos yn dynnach fyth ar Tom. Sigodd y llawr ac ysgwyd wrth i'r llosgfynydd baratoi i ffrwydro.

'A dwi'n credu,' gwaeddodd Tom yn gryg gan afael â'i holl nerth yng nghoes y Bwystfil, 'mai fy nhynged i yw... eich curo CHI!'

Roedd llaw Tom – yr un yr oedd maneg ddur ei dad amdani – yn cau am y gadwyn aur o amgylch sawdl Epos.

Er syndod i Tom, torrodd y faneg trwy'r gadwyn fel petai'n bapur gwlyb. Rhythodd ar y darnau o aur yn ei law.

Sgrechiodd Epos wrth iddo ryddhau'i afael ar Tom. Swniai fel petai canol y ddaear yn rhwygo ar agor. Ysgydwodd y Bwystfil yn ffyrnig a chlecian ei adenydd. Cododd yn urddasol i'r awyr, wedi'i ryddhau o'r diwedd.

'Na!' rhuodd Moelfryn. 'Dydy hyn ddim yn bosib!'

Yna hedfanodd Epos yn syth at
Moelfryn gan afael ynddo â'i grafangau
marwol a'i godi'n uchel uwchben y
llosgfynydd.

'Nid dyma'r diwedd, Tom!'
sgrechiodd Moelfryn. 'Byddwn ni'n
cyfarfod eto!'

Daliodd Epos y ffigwr tywyll aflonydd
am eiliad uwchben y fflamau a
ffrwydrai o geg y llosgfynydd.

Yna diflannodd y Dewin Du mewn
niwl o olau gwyn, a chrafangau'r
aderyn bellach yn wag. A oedd
Moelfryn wedi cael ei ddinistrio gan ei
felltith ei hun? Neu a oedd rywsut
wedi'i drawsffurfio'i hun a dianc
o'r llosgfynydd? Doedd Tom ddim
yn gwybod.

Gyda sgrech gras plymiodd Epos i
lawr i grombil y llosgfynydd.
Gallai Tom glywed adlais y sgrech
yn llenwi'r awyr am rai eiliadau.
Wedyn doedd dim ond tawelwch.

'Dwi wedi llwyddo,' mwmialodd
Tom. Roedd ei gorff yn llosgi ac yn
gwaedu, ond ni allai beidio â gwenu.
'Beth bynnag ddigwyddodd i
Moelfryn, mae'i gynlluniau wedi
cael eu dinistrio – dwi wedi
rhyddhau Epos!'

Yna, sigodd y ddaear oddi tano, ac o
hollt yn y graig cododd tân a
mwg trwchus, melyn. Eisteddodd Tom
i fyny mewn arswyd. Nid dyma'r
amser i'w ganmol ei hun. Roedd y
llosgfynydd ar fin ffrwydro. Roedd
teyrnas Afantia yn dal mewn perygl!

A'i wynt yn ei ddwrn, rhythodd
Tom ar y llethr serth o graig a oedd
yn ei amddiffyn rhag pwerau tanllyd
y llosgfynydd. Syllodd ar y craciau a
oedd yn rhedeg ar ei hyd, a chofiodd
am ei gynllun. Pe bai'n gallu
rhyddhau'r holl gerrig, efallai y
bydden nhw'n atal y lafa rhag llifo!

Tynnodd Tom esgid ddur ei dad oddi
ar ei droed. Roedd ganddi flaen

miniog. Rhoddodd y darn miniog
yn erbyn hollt fechan a gafael mewn
carreg i'w defnyddio fel morthwyl.
Pe bai'n gallu gyrru'r pigyn i'r hollt i
ledu'r bwlch… gyda lwc, byddai'r
graig i gyd yn disgyn…

Pesychodd oherwydd yr holl fwg,
a tharo'r esgid finiog eto ac eto.
Roedd yr hollt yn mynd yn fwy –
ond doedd y graig ddim yn symud.
Gafaelodd Tom yn yr esgid arall a'i
tharo i mewn i hollt arall.

'Fe alla i wneud hyn,' dywedodd
wrtho'i hun gan ergydio'r esgid â
charreg drachefn a thrachefn.

105

Llanwai ei lygaid â dagrau o
rwystredigaeth. Llithrodd y garreg
o'i fysedd dideimlad.

Doedd dim i'w wneud. Doedd o
ddim digon cryf.

Yn sydyn gallai deimlo rhywbeth
yn edrych arno. Trodd Tom, a gweld
Epos, yr aderyn tân anferth,
yn hofran yn yr awyr uwchben.
Doedd llygaid yr aderyn ddim yn goch
erbyn hyn. Roedden nhw'n disgleirio
fel yr aur puraf.

Rhythai Tom mewn rhyfeddod wrth
i'r aderyn hedfan tuag ato a tharo yn
erbyn y graig. Dro ar ôl tro, hyrddiodd
Epos ei hun yn erbyn yr wyneb o
garreg. Agorodd holltau yn y graig
wrth i Epos daro'i big yn ei herbyn.

'Rwyt ti'n deall!' ebychodd Tom
mewn rhyfeddod. 'Welaist ti beth
roeddwn i'n ceisio'i wneud ac rwyt ti'n
fy helpu i!' Roedd rhwng dau feddwl.
Roedd o mor ddiolchgar i'r Bwystfil
am ei gymorth, ond roedd yn erchyll

edrych arno'n taflu'i hun yn erbyn y graig, a gwreichion fioled yn tasgu o'i gorff.

Gyda gobaith newydd, gafaelodd Tom mewn darn arall o garreg a'i ddefnyddio i yrru'r esgid yn ddyfnach eto i mewn i'r hollt.

Trwy weithio gyda'i gilydd, efallai y gallai Tom a'r aderyn lwyddo...

O'r diwedd dechreuodd darn anferth o graig dorri'n rhydd. Roedd craciau du igam-ogam yn agor ar ei hyd.

'Hwrê!' bloeddiodd.

Gyda sgrech fyddarol, hyrddiodd Epos ei hun at ganol wyneb y graig. A chyda sŵn rhygnu a chwyrnu, fe dorrodd.

Safai Tom ar ochr y llethr, ond chafodd yr aderyn tân anferth ddim amser i ddianc.

'Epos!' gwaeddodd Tom wrth i'r Bwystfil ddiflannu o dan y cerrig mawr ac i mewn i geg eirias y llosgfynydd.

YR ATEBION OLAF

Syrthiodd Tom i'w bengliniau wrth i'r llawr siglo oddi tano.
Gorchuddiodd ei glustiau wrth i sŵn y creigiau atseinio o'i amgylch.

Yna distawodd y crynu. Cododd mwg a llwch i'r awyr ddu. Am eiliad hir, pendronai Tom pam ei bod wedi tywyllu mor sydyn. Yna sylweddolodd fod golau disglair y lafa wedi cael ei gladdu o dan filoedd o dunelli o

gerrig. Roedd tanau ffyrnig y
llosgfynydd wedi cael eu diffodd.

Roedd y deyrnas yn saff o'r diwedd!

Ond roedd Epos wedi marw. Roedd
y Bwystfil dewr wedi'i aberthu'i hun
er mwyn achub Afantia.

'Na!' gwaeddodd Tom gan ymbalfalu
dros y cerrig a cheisio cyrraedd yr
aderyn tân. Ond doedd dim gobaith.

Yn ei dristwch, doedd Tom ddim wedi sylwi ar y mwg yn tasgu a disgleirio, nac wedi gweld siâp cyfarwydd mewn clogyn coch yn ymddangos wrth ei ymyl.

O'r diwedd trodd Tom.

'Y Dewin Aduro,' sibrydodd Tom.

Gwenodd yr hen ddyn arno. 'Rwyt ti wedi gwneud yn dda, Tom. Rwyt ti wedi trechu Moelfryn – ac wedi achub y deyrnas.'

Taflodd Tom olwg ar y pentref ymhell oddi tano. Roedd yn dal ar ei draed, y tanau yn y goedwig wedi'u diffodd, a phob coeden fel sgerbwd du. 'Dwi dal ddim yn deall sut lwyddais i dorri'r gadwyn a rhyddhau Epos,' cyfaddefodd, gan dynnu'r faneg ddur oddi ar ei law. 'Does bosib fod hen arfwisg fy nhad ddim mor gryf â hynny?'

Gwenodd Aduro. 'Ti wnaeth o'n gryf, Tom. Dy ffydd yn dy dad ac yn

dy ffrindiau – a dy ffydd ynot ti dy
hun – dyna sut lwyddaist ti i dorri
melltith Moelfryn. Dydy o ddim
yn deall daioni na ffyddlondeb.
Felly doedd gan ei felltith ddim
amddiffyniad yn erbyn rhywun
oedd yn meddwl gymaint o'r ddau
beth yna.'

Edrychodd Tom i'r llawr. 'Ond
doeddwn i ddim yn gallu achub
Epos. Mae wedi marw.'

'Wyt ti'n siŵr?' gofynnodd yr hen
ddewin yn dawel.

Tyfodd sŵn chwyrnu isel o'u
cwmpas. Cyn y gallai Tom ymateb,
cododd pelen anferth o olau o ganol
y llosgfynydd. Roedd rhywbeth yn
crynu y tu mewn iddi – cysgod
euraid aderyn. Torrodd y belen
yn ddarnau, a chyda chrawc
uchel, hedfanodd creadur anferth,
urddasol ohoni.

'Epos!' gwaeddodd Tom.

'Ffenics ydy o,' eglurodd Aduro.
'Mae'n rhaid iddo farw yn y
fflamau, fel y gall godi'n fyw eto
o'r lludw.'

Cylchodd y Bwystfil uwch eu
pennau gan glecian ei adenydd aur
a gadael llwybr o dân yn yr awyr.

'Gan fod Epos wedi cael gwared ar ei hen ffurf, mae pob arwydd o felltith Moelfryn wedi marw hefyd,' mwmialodd Aduro. 'Diolch i ti, Tom, bydd Epos yn rhydd am byth.'

'Arhoswch,' meddai Tom. 'Mae rhywbeth yn ei geg...'

Agorodd Epos ei geg. Disgynnodd cleddyf myglyd a tharian ddu, bren wrth draed Tom.

'Fy nghleddyf! Fy nharian!' gwaeddodd Tom. 'Mae Epos wedi'u hachub o'r llosgfynydd!'

Gyda'i sgrech fyddarol olaf, cododd Epos yn uchel i'r awyr. O'i ôl gadawodd lwybr o dân hudol a losgodd y cymylau tywyll o fwg a llwch a orweddai'n drwch dros y pentref.

Chwarddodd Tom wrth iddo rythu ar awyr las, glir y bore.

Rhoddodd Aduro law ar ysgwydd Tom. 'Dyma wawr newydd i'r deyrnas gyfan, diolch i ti, Tom.'

Yn sydyn, disgynnodd rhywbeth o'r awyr a glanio ar gledr llaw Tom – crafanc finiog, loyw. Yn reddfol, plygodd Tom a'i rhoi yn ei darian. Ar unwaith, daeth golau aur o'r darian a disgleirio ar ei groen.

'Beth... beth sy'n digwydd?' holodd Tom yn ansicr.

'Mae'r ffenics yn gallu gwella pob clwyf,' eglurodd Aduro.

Teimlai Tom ei gorff yn cynhesu. Diflannodd ei losgiadau a'i friwiau, a gwellodd ei boenau. Ond teimlai gyffro'n troelli trwy'i gorff. Roedd y llosgfynydd fel petai'n troi o'i amgylch.

'Aduro?' gofynnodd Tom yn ansicr. 'Ble ydych chi?'

'Paid â bod ofn,' sibrydodd y dewin. 'Mae rhywun arbennig eisiau dy weld – a dydy o ddim yn hoffi gwastraffu amser...'

Teimlai Tom ergyd yn mynd trwy'i gorff. Roedd ei synhwyrau'n troelli.

Teimlai fel petai'n hedfan. Yn sydyn roedd yr aer o'i gwmpas yn ffres ac yn felys. Roedd popeth yn dawel. Yn ofalus, agorodd ei lygaid a sylweddoli ei fod mewn ystafell fawr, foethus, wedi'i haddurno â lliwiau coch ac aur. Roedd yn penlinio ar lawr o farmor gwyn, gloyw. Eisteddai dyn o'i flaen ar orsedd urddasol.

Ebychodd Tom. Roedd yn y palas brenhinol gyda'i darian a'i gleddyf – ar ei liniau o flaen y brenin!

'Cyfarchion, Tom,' meddai'r Brenin Iago. 'Mae'r Dewin Aduro wedi dod â thi ataf i mi gael diolch i ti'n syth.'

Llyncodd Tom ei boer, a phlygu'i ben.

'Roedd hi'n bleser, Eich Mawrhydi!'

'Mae dyled Afantia'n fawr i ti,' aeth y brenin yn ei flaen. 'Gofynna am unrhyw beth ac fe'i cei.'

Cododd Tom ar ei draed ac ymgrymu.
'Os gwelwch yn dda, Eich Mawrhydi,
y cyfan dwi'i eisiau ydy ateb i
un cwestiwn – beth ddigwyddodd i
fy nhad?'

'Mae'n bryd i ti gael gwybod,'
meddai'r brenin. 'Roedd Taladon
Gyflym yn farchog ifanc.
Flynyddoedd maith yn ôl daeth ar
draws Epos yn yr ogofâu wrth ymyl
y llosgfynydd. Doedd Epos ddim o
dan unrhyw felltith, ond roedd yn
meddwl bod dy dad yn tresbasu.
Ymladdodd dy dad yn erbyn y
Bwystfil – a cholli. Ac o'r diwrnod
hwnnw, ei nod mewn bywyd oedd
dysgu popeth am y Bwystfilod. Aeth
i aros gyda'i frawd yn Errinel, darllen
hen lyfrau, casglu gwybodaeth
gyfrinachol... a dod o hyd i wraig,
wrth gwrs.'

Nodiodd Tom. 'Fy mam.'

'Yn fuan wedyn, dechreuodd
Taladon freuddwydio am y
Bwystfilod – hunllefau rhyfedd ac
ofnadwy a ddywedai wrtho fod
rhywbeth drwg yn mynd i ddigwydd.
Doedd yr hunllefau ddim yn cilio...'

Plygodd y Brenin Iago yn ei flaen.
'Roedd yn meddwl mai
proffwydoliaeth oedden nhw a fyddai
un diwrnod yn dod yn wir. Roedd dy
fam yn credu hynny hefyd.
Ac oherwydd bod y ddau yn dy garu
di, roedden nhw eisiau amddiffyn
y deyrnas y byddet ti'n cael dy
fagu ynddi.'

Rhyfeddai Tom wrth wrando ar y
brenin yn siarad.

'Dymuniad olaf dy fam oedd i
Taladon fynd ar Gyrch i ddarganfod
mwy am y Bwystfilod. Roedd hi
eisiau iddo deithio'r byd i chwilio
amdanyn nhw a dysgu am eu
cryfderau a'u gwendidau. Felly,
pe bydden nhw'n ymosod, byddai'r
deyrnas yn barod – a byddai'r bobl
i gyd yn gallu byw heb ofn.'

'Ond, Eich Mawrhydi,' dechreuodd
Tom yn nerfus, 'dywedodd Moelfryn
fod fy nhad wedi'i helpu.'

Daeth y Dewin Aduro a sefyll wrth ymyl Tom. 'Roedd Moelfryn wedi dwyn papurau Taladon a oedd yn llawn gwybodaeth gyfrinachol am y Bwystfilod,' eglurodd. 'Defnyddiodd yr wybodaeth i reoli chwech ohonyn nhw. Dyna'r unig ffordd yr oedd dy dad wedi helpu Moelfryn.'

Teimlodd Tom don sydyn o falchder yn llwyddiant ei dad. 'Felly dwi wedi dilyn ôl ei droed!' Edrychodd yn obeithiol ar Aduro. 'Ydych chi'n gwybod lle mae o rŵan?'

'Nac ydw,' atebodd Aduro. 'Mae wedi teithio i diroedd pell, i lefydd lle na alla i hyd yn oed eu gweld.'

'Mi ddof fi o hyd iddo rywbryd,' addawodd Tom. 'Byddwn ni'n cwrdd, dwi'n gwybod. Dyma fy nhynged.'

Yn sydyn daeth clindarddach y tu allan i ystafell y brenin, a sŵn lleisiau bywiog.

Gwenodd y brenin. 'A! Mae Aduro wedi consurio eraill sydd eisiau dy gyfarch di.'

Agorodd drysau'r ystafell led y pen – gan Elena!

'Tom!' gwaeddodd.

Cyn y gallai Tom ddweud gair, taflodd Elena'i hun i'w freichiau, a bu bron iddi ei daro i'r llawr wrth iddi'i gofleidio'n dynn. 'O! Tom, fe lwyddaist ti!'

'Fe lwyddon *ni*,' meddai wrthi. 'Fyddwn i byth wedi gallu gwneud hyn hebddot ti, Arian a Storm. Ble maen nhw?'

'Mae'n ymddangos eu bod nhw yn fy stafell!' ebychodd y Brenin Iago.

Chwarddodd Tom wrth i Storm glip-clopian draw a gwthio heibio i Aduro gan weryru'n uchel. Gwibiai Arian yn gynhyrfus i mewn ac allan o goesau'r ceffyl, a llyfu wyneb Tom.

'Dydw i ddim yn siŵr a ydw i erioed wedi croesawu ceffyl a blaidd i'm palas o'r blaen,' chwarddodd y Brenin Iago. 'Ond wedyn, dydyn ni erioed wedi cael arwr fel Tom yma o'r blaen chwaith.' Gwenodd ar Elena a'r anifeiliaid. 'Heno fe fydd gwledd fawr – gyda chi, Tom ac Elena, yn westeion arbennig!'

Ymgrymodd Tom. 'Rydyn ni'n ddiolchgar, Eich Mawrhydi,' meddai.

'Fi sy'n ddiolchgar,' meddai'r Brenin Iago. 'Rydw i am siarad â'r bobl rŵan.'

Wrth i'r brenin groesi tua'r balconi, edrychodd Tom ar Aduro. 'Ydy popeth wir ar ben? Ydy Moelfryn wedi mynd am byth?'

'Pwy all ddweud?' meddai Aduro. 'Roedd Moelfryn yn ddewin arbennig, a'r pŵer ganddo i deithio pellterau mawr ar amrantiad. Efallai fod y Cyrch hwn ar ben, Tom, ond gall fod rhai eraill ar y gorwel.'

Rhedodd ias gynhyrfus drwy gorff Tom. 'Fe fydda i'n barod.'

'A byddwn ni'n eu hwynebu nhw gyda'n gilydd,' ychwanegodd Elena.

Gweryrodd Storm a chyfarthodd Arian wrth i floedd fawr o gymeradwyaeth siglo'r palas. Roedd y Brenin Iago ar y balconi yn cyfarch y bobl, a galwodd ar Tom ac Elena i ymuno ag ef.

Llyncodd Tom ei boer eto. 'Mae'n well i ni fynd i wynebu'r dorf!'

Safodd Tom ac Elena wrth ochr y Brenin Iago. Roedd y strydoedd y tu allan yn llawn pobl a phawb yn curo dwylo a chymeradwyo. Gwelodd Tom Owen a Raymond yn gwenu yn y dorf, a chododd ei law arnyn nhw.

'Ti yw arwr y deyrnas, Tom!' meddai Elena'n gynhyrfus. 'Bydd dy hanes di'n cael ei adrodd trwy'r wlad...'

Prin y gallai Tom ei chlywed.
Am eiliad, meddyliodd ei fod wedi
gweld ffigwr tywyll... Caeodd ei
lygaid – a phan edrychodd eto, doedd
dim byd yno. A oedd ei lygaid yn
chwarae triciau arno?

'Os bydd Moelfryn yn dychwelyd,'
meddyliodd Tom, 'fe fydda i'n barod
amdano.'

Ond yr eiliad honno, roedd yn
ddigon iddo wybod ei fod wedi
cwblhau Cyrch y Bwystfilod, a bod
Elena, Storm ac Arian yn saff wrth
ei ymyl.

Gwenodd Tom a chodi ei gleddyf
yn uchel wrth i'r dorf weiddi.
Meddyliai am y chwe Bwystfil a oedd
erbyn hyn yn rhydd eto, yn rhydd i
amddiffyn teyrnas Afantia. Yn union
fel y bu erioed, ers dechrau amser.

Cofia ddarllen am anturiaethau eraill Byd y Bwystfilod . . .

www.rily.co.uk

www.rily.co.uk

ADAM BLADE

Byd y Bwystfilod

IDRIS, CAWR Y MYNYDD

ADDASIAD TUDUR DYLAN JONES

RILY

www.rily.co.uk

ADAM BLADE

Byd y Bwystfilod

TAGUS Y CEFFYL-DDYN

ADDASIAD TUDUR DYLAN JONES

RILY

www.rily.co.uk

ADAM BLADE

Byd y Bwystfilod

RHEWFYS
ANGHENFIL YR EIRA

ADDASIAD TUDUR DYLAN JONES

RILY

www.rily.co.uk